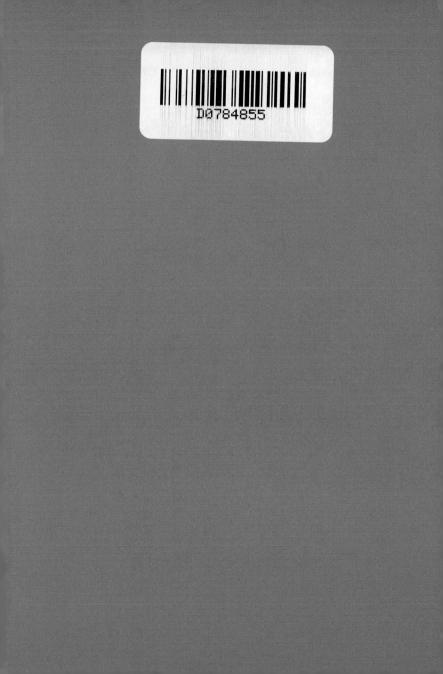

FOLIO CADET

Pour Margaret Frith,
P. D.

Traduit de l'anglais
par Pascale Jusforgues

Maquette : Light motif

Titre original : *What a trip, Amber Brown*
Édition originale publiée par G. P. Putnam's Sons,
une division de Penguin Putnam Books for Young Readers, New York
© Paula Danziger, 2001, pour le texte
© Tony Ross, 2001, pour les illustrations
© Éditions Gallimard Jeunesse, 2004, pour la traduction

Paula Danziger

Lili Graffiti
fait du camping

illustré par Tony Ross

GALLIMARD JEUNESSE

– Ho hisse, la saucisse ! En route, la
choucroute !

Justin et moi, on crie à tue-tête dans la
voiture. Et Danny aussi.

– En 'oute, la soucoute ! En 'oute, la
soucoute !

Danny n'a que trois ans. C'est le petit
frère de Justin.

– Ça suffit ! dit maman.

Nous partons en vacances pour deux semaines. Moi, Lili Graffiti, ma mère, Justin (mon meilleur ami), Danny et leur maman, Mme Morris.

Les papas viendront nous rejoindre en fin de semaine. À partir de là, ils seront en vacances eux aussi.

La maison où nous allons se trouve à Pansulney.

– Et pan sur le nez ! me dit Justin en faisant semblant de me donner un coup.

Moi, Lili Graffiti, je fais pareil.

– Pan su' le nez ! répète Danny sur la banquette arrière.

– Justin et Lili, arrêtez vos bêtises, dit maman. Vous allez entrer au CE1 dans quelques semaines, il serait temps d'être un peu plus raisonnables. Tenez-vous tranquilles jusqu'à notre arrivée.

Justin et moi, on se fait des grimaces en silence.

Tout à coup, on entend un bruit dégoûtant derrière nous. On ne peut pas se retourner à cause de nos ceintures de sécurité, mais on arrive très bien à sentir l'odeur.

Mme Morris s'arrête sur le bord de la route pour changer Danny. Justin et moi, on ne se tape plus sur le nez : on se le bouche ! Ça sent trop mauvais dans la voiture.

Nous reprenons la route et roulons encore un peu.

– Au prochain virage, nous serons presque arrivés, dit maman.

En haut du chemin, nous apercevons une grande maison blanche.

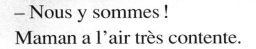

– Nous y sommes !
Maman a l'air très contente.

Justin et moi, on sort de la voiture et on fait le tour du jardin en courant. Dans un arbre, il y a une balançoire. Et juste à côté, une piscine. Je sens qu'on va passer des vacances géniales… dès qu'on aura défait nos valises !

Moi, Lili Graffiti, je suis la défaiseuse de valise la plus rapide du monde. En sept minutes trois quart, toutes mes affaires sont déballées !

Après avoir frappé, Justin entre et regarde autour de lui.

– Tu as de la chance de ne pas avoir à partager ta chambre avec un petit frère qui sent mauvais comme un putois.

Et il ajoute :

– Ce que tu peux être ramollo, Lili ! Dépêche-toi un peu. J'ai envie d'aller jouer dehors. Si ça continue, je vais piquer du nez à Pan-sur-le-nez.

– Ne me dis pas que tu as déjà rangé
tes affaires, on vient à peine d'arriver !

– Pff, j'ai fini depuis
longtemps ! Et maintenant,
je t'attends, Lili-lambine.

– D'abord, montre-moi
ta chambre.

Je veux savoir comment il a
réussi à battre mon record de
vitesse. Je ne tarde pas à comprendre.
Justin n'est pas le défaiseur
de valise le plus rapide…
mais le plus désordonné du
monde !

Nous redescendons et nos mamans nous donnent des bananes. Justin et moi, on s'amuse à faire les singes. On se gratte sous les bras, on saute dans tous les sens.

On fait le tour de la maison. Dans un arbre, on découvre une cabane… On y grimpe comme des ouistitis. Et dans la piscine, on se transformera en baleines !

À travers le feuillage, on aperçoit un animal avec de grandes cornes sur la tête. Je m'écrie :

— Un cerf, par Lucifer !

— Ou peut-être un renne du père Noël qui passe ses vacances dans la région ?

Et Justin se met à chanter tout en se tapant sur le nez :

— Depuis qu'il est à Pansulney, on l'appelle René-le-Renne-au-gros-nez !

Le cerf tourne la tête et s'en va.

— Justin, et si on dormait à la belle étoile ?

Ça ne nous est encore jamais arrivé.

– Ouiiiii, ce serait super ! crie Justin en faisant des bonds.

Il nous reste à convaincre les mamans.

– D'accord… à condition que ton père reste avec vous, dit la mienne.

– Tu demanderas à ton père quand il téléphonera ce soir, dit celle de Justin.

– On va se baigner dans la piscine ?
demande Danny.

Justin et moi, on l'appelle la pipiscine,
parce que nos mamans nous ont dit qu'il
ne fallait surtout pas faire pipi dans
l'eau. J'espère que Danny s'en souvien-
dra.

– Plouf ! crie-t-il en sautant dans l'eau.

Il sait nager depuis qu'il est tout petit.
Justin aussi.

Moi, Lili Graffiti, j'ai peur. J'aime bien être dans l'eau tant que j'ai pied et avec un gilet de sauvetage sur le dos.

Justin fait un aller-retour. En revenant, il m'éclabousse.

– Arrête, je dis.

Mais il continue. Je suis tout aspergée.
J'ai de l'eau dans le nez.

— Attention : attaque sous-marine ! crie
Justin.

Il disparaît sous l'eau, émerge à nou-
veau et me crache une grande giclée en
pleine figure.

— J'ai dit ARRÊTE !

– Hou, le bébé froussard ! dit-il en tirant la langue.

– Je ne suis pas un bébé.

Je l'éclabousse. Il me ré-éclabousse. Cette fois, j'ai l'impression que la moitié de la piscine est entrée dans mes narines. Je me mets à tousser, je m'étrangle à moitié.

Justin sort et il fait la bombe.

SPLASH !

Moi, Lili Graffiti, je suis folle de rage.

Justin se fait disputer par sa mère.

Bien fait pour lui.

Je me dis, attends un peu qu'on soit sur la terre ferme et qu'on dorme à la belle étoile, Justin Morris. Quand un énorme grizzli viendra nous attaquer en pleine nuit, c'est moi qui nous sauverai et tu seras bien obligé de reconnaître que je suis la fille la plus courageuse du monde.

En attendant, je décide de ne plus lui parler.

Je monte lire dans ma chambre. Moi,
Lili Graffiti, je suis fâchée avec Justin…
et avec ma mère aussi, parce qu'elle m'a
dit que ce n'était pas bien de faire la tête.
Par la fenêtre, j'aperçois la piscine.
Depuis le temps que Danny barbote
dedans, c'est sûrement devenu une vraie
pipiscine.

Je déteste faire la tête. Mais je veux leur montrer que je suis très en colère.

J'entends frapper à la porte.

– Qui est là ?

– C'est moi.

C'est la voix de Justin.

Je ne réponds pas.

– Tu fais du boudin ? me demande-t-il.

– Je ne suis pas charcutière, je te signale.

— Écoute, reprend Justin, je suis désolé pour tout à l'heure, d'accord ?

Il entrouvre la porte.

— Et si on allait boire quelque chose ? me propose-t-il.

— Pas question. J'ai bu assez d'eau pour aujourd'hui.

Et je croise les bras.

Justin se met à quatre pattes et aboie comme un jeune chien.

– Retourne-toi et fais le mort, je lui dis.

Il m'obéit, puis il se relève, me lèche la main et se remet sur le dos, les pattes en l'air. C'est plus fort que moi. Je lui gratte le ventre comme s'il était un gros toutou.

C'est difficile de rester fâchée long-temps avec Justin.

Moi, Lili Graffiti, je suis super contente. Et Justin aussi. Nos papas sont arrivés et, dès qu'il fera nuit, nous irons dormir à la belle étoile !

Danny est loin d'être aussi content que nous. Il devra rester à la maison avec les mamans. On a beau lui affirmer qu'il sera bien mieux dans son lit, il n'est pas idiot. Il sait très bien que c'est une façon de dire : « Tu es trop petit pour ce genre de chose. »

Justin et moi, on commence à empiler nos affaires de camping.

Pendant que les papas montent la tente, nos mamans préparent le pique-nique. Justin et moi, on a déjà glissé des gâteaux et des bonbons dans notre sac à dos.

La nuit tombe. M. Morris entre en disant :

– Ça y est, c'est prêt !

Il a une bosse sur le front parce que la tente s'est écroulée sur lui.

Justin et moi, on saute de joie. Danny hurle :

– Moi aussi, ze veux y aller !

D'une seule et même voix, nous lui répondons :

– Non.

Danny pique une grosse colère et se roule par terre.

Nous embarquons nos affaires et… en route pour le camping ! Même de loin, on entend encore Danny crier. Papa est debout près de la tente, son téléphone portable à la main.

— Écoute, Mike, dis à ce client que je le contacterai dès lundi matin.

Je lui fais tomber mon sac sur les pieds.

— Oups ! pardon papa.

Il recule d'un pas et continue à discuter.

— Papa, c'est les vacances ! je lui fais remarquer.

Il me regarde et je lui fais les yeux doux, l'air de dire :

— Je suis ta fille… ta fille unique… s'il te plaît… fais ça pour moi !

– Bon. Au revoir, Mike. Je te rappelle lundi, d'accord ? Pour l'instant, le camping occupe tout mon planning.

Lundi, je lui referai les yeux doux.

Nous installons nos affaires sous la tente, puis nous dînons. Au menu, pour Justin et moi, brochettes de saucisse avec oignons, tomates et marshmallows. Miam ! Ensuite, nous nous asseyons autour du feu et nous chantons des chansons et nos airs de pub préférés. Puis vient l'heure des histoires de fantômes.

Nos papas en connaissent qui font drôlement peur. Je ne sais pas comment se sent Justin… mais moi, je commence à avoir mal au ventre. À cause des brochettes ou de ces histoires horribles ?

Il fait de plus en plus noir. Des lucioles s'agitent autour de nous. Je me demande quel genre de bêtes rôdent la nuit, à Pan-sulney…

— Bon, il est temps d'aller dormir, dit papa.

— J'espère qu'il n'y a pas de serpents dans nos sacs de couchage, me dit Justin, juste au moment où j'allais me glisser dans le mien.

Moi, Lili Graffiti, je l'inspecte sous toutes les coutures.

Ça y est, nous voilà tous emmitouflés dans nos sacs comme de grosses chenilles. Les papas s'endorment très vite, et ronflent très fort. C'est difficile de dormir avec deux super ronfleurs à côté de soi.

Dehors, il y a des bruits bizarres.

Moi, Lili Graffiti, je commence à m'inquiéter sérieusement.

– Lili, chuchote Justin. C'est quoi, ce bruit ?

Je tends l'oreille.

Tout d'abord je n'entends rien, puis un léger grognement

— Grrrrrrrrrrrrrr.

Un grizzli ! J'en étais sûre. Tout à l'heure, en plein jour, j'étais prête à m'attaquer à tous les ours du monde. Mais là, dans le noir, je fais moins la fière. Ça recommence.

— Grrrrrrrrrrrrrrrr.

Justin disparaît au fond de son sac. Je
fais comme lui.

Tout à coup, j'entends rire. De toute évidence, ce n'est pas un rire de grizzli. Ça ressemblerait plutôt aux glousse-ments de Danny. Je sors la tête de mon duvet. C'est bien Danny, et il est tout nu.

M. Morris se réveille. Il attrape son

petit garçon et lui fait des chatouilles.
Ensuite, il lui prête sa chemise. Nous
n'avons pas été attaqués par un grizzli
féroce mais par un Danny en chair et
en os.

— Ze me suis échappé de la maison,
dit-il avec un grand sourire.

M. Morris le prend dans ses bras.
Danny a l'air très content d'être ici.

Nous votons pour savoir si Danny restera avec nous. La réponse est oui. Papa téléphone à la maison pour prévenir Mme Morris.

Quelques minutes plus tard, les mamans viennent nous rejoindre. On dit toujours qu'on n'est jamais aussi bien que chez soi. Moi, Lili Graffiti, je trouve qu'on est encore mieux sous la tente !

Fin

Paula Danziger est née à Washington DC en 1944 et a passé son enfance à New York. Elle commença à écrire tout en exerçant différents métiers qui allaient la mettre en contact avec les enfants : professeur d'anglais, conseillère pédagogique, animatrice d'une émission télévisée. Le succès croissant de ses livres, récompensés par de nombreux prix et traduits dans plusieurs langues, l'encouragea alors à réaliser son rêve : devenir écrivain à temps complet.
L'inoubliable personnage de Lili Graffiti lui fut inspiré par sa nièce Carrie.
Elle imagina ensuite pour les plus jeunes les premières aventures de Lili Graffiti.
Paula Danziger se sentait proche des enfants et ses histoires témoignent d'une grande justesse psychologique. Passionnée par la vie, les gens, elle effectua de nombreux voyages pour rencontrer ses lecteurs du monde entier. Enthousiaste, gaie et chaleureuse, à l'image de son héroïne, elle savait partager son amour des livres.
Paula Danziger est morte en juillet 2004.

Tony Ross est né à Londres en 1938. Après des études de dessin, il travaille dans la publicité puis devient professeur à l'école des beaux-arts de Manchester. En 1973, il publie ses premiers livres pour enfants. Sous des allures de rêveur volontiers farceur, Tony Ross est un travailleur acharné.
On lui doit des centaines d'albums, de couvertures et d'illustrations de romans. D'un malicieux coup de crayon sont nés l'irrésistible Lili Graffiti, la fantaisiste Mademoiselle Charlotte et l'insupportable William, héros de la collection Folio Cadet.

Je lis, je grandis... avec Lili Graffiti.

Mes premières  aventures

Sept bougies pour Lili Graffiti, 448

Moi, Lili Graffiti, je suis excitée comme une puce ! Demain c'est mon anniversaire, j'aurai sept ans. J'aimerais bien pouvoir ouvrir un cadeau et goûter mon gâteau. Mais pas question, je dois attendre le grand jour.

Lili Graffiti fait du manège, 459

Moi, Lili Graffiti, je passe la journée à la fête foraine. Papa m'a acheté de la barbe à papa. Miam, j'adore ça ! Je fais plein de tours de manège. À califourchon sur le lion, je suis la reine de la jungle.

Lili Graffiti va à l'école, 463

Moi, Lili Graffiti, je rentre au CE1. J'espère que la nouvelle maîtresse n'oubliera pas de dire : « Bonjour, Lili ! » avec un grand sourire. Patou, l'ours en peluche qui me sert de sac à dos m'accompagne. Driiing ! On sonne ! Je parie que c'est mon ami Justin.

LES AVENTURES DE LILI GRAFFITI **à partir de 8 ans**

ISBN : 2-07-050877-3
N° d'édition : 141808
Loi n° 49-956 du 16 juillet 1949
sur les publications destinées à la jeunesse
Premier dépôt légal : septembre 2004
Dépôt légal : décembre 2005
Imprimé en Italie par Editoriale Lloyd